Tuuur Budr

Môr-leidr!

D0480665

I Lucy a Sam ~ D R
I Taylor ~ A M

Cyhoeddwyd yn 2012 gan Stripes Publishing,
argraffnod Magi Publications, I The Coda Centre,
189 Munster Road, Llundain SW6 6AW

Teitl gwreiddiol: *Dirty Bertie – Pirate!*

Cyhoeddwyd yn Gymraeg yn 2013 gan
Wasg Gomer, Llandysul, Ceredigion SA44 4JL
www.gomer.co.uk

ISBN 978 1 84851 665 6

Dymuna'r cyhoeddwyr gydnabod cymorth
Adrannau Cyngor Llyfrau Cymru.

Argraffwyd a rhwymwyd yng Nghymru gan
Wasg Gomer, Llandysul, Ceredigion SA44 4JL

Tudur Budr

Budr

Môr-leidr!

DAVID ROBERTS · ALAN MACDONALD
Addasiad Gwenno Mair Davies

Gomer

Casglwch lyfrau
Tudur Budr i gyd!

Cynnwys

MÔR-LEIDR!

PENNOD 1

'AHARRRR!' rhuodd Tudur, gan chwifio'i gleddyf o'i flaen. Roedd yn Ddiwrnod Môr-ladron yn yr ysgol ac roedd pawb yn nosbarth Miss Jones mewn gwisg ffansi. Roedd Tudur wastad wedi dyheu am gael bod yn fôr-leidr. Byddai ganddo ei long ei hun – *Y Chwannen Ddu*. Byddai'n byw bywyd môr-leidr; yn ysbeilio, lladrata a byth yn glanhau'r tu ôl i'w glustiau.

7

Tudur Budr

Brasgamodd drwy giatiau'r ysgol. Roedd môr-ladron Dosbarth 3 yn sefyllian fan hyn a fan draw, wedi'u harfogi â chleddyfau a chyllyll plastig. Roedd gan Eifion sgarff smotiog wedi'i chlymu am ei ben. Roedd gan Darren glustdlws aur a llond ceg o ddannedd duon. Cyfarchodd Capten Tudur nhw.

'AHARRR, ffrindiau!'

'AHARRR!' rhuodd y lleill yn ôl.

Neidiodd Tudur i ben mainc a gosod ei delesgop wrth ei lygad.

'HO! Y GELYN!' gwaeddodd.

Draw wrth y ffynnon ddŵr eisteddai'r môr-leidr mwyaf tila a welwyd erioed – Dyfan-Gwybod-y-Cyfan.

Tudur Budr

Dyfan oedd gelyn pennaf Tudur. Ddoe roedd o wedi rhoi gwm cnoi ar gadair Tudur. Roedd Tudur wedi crwydro o amgylch yr ysgol drwy'r dydd â blob pinc ar ei ben-ôl. Wel, roedd hi'n amser dial.

'Saethwch!' gorchmynnodd Tudur. Dyma bêl dennis yn hedfan drwy'r awyr ac yn bownsio oddi ar ben Dyfan.

DOINC!

'Anelu campus, fechgyn!' gwaeddodd Tudur Llygad-Ddu. 'Daliwch o!'

'AHARRRR!' bloeddiodd Darren ac Eifion, gan heidio tuag ato fel llygod mawr.

'OOO-NAAA!' sgrechiodd Dyfan, gan ollwng ei fag i'r llawr a dechrau rhedeg i ffwrdd. Ond roedd Tudur a'i griw direidus yn dynn ar ei sodlau. Cyn pen dim roedd y gelyn wedi'i amgylchynu.

'HELP!' gwaeddodd Dyfan. 'Dwi am ddweud wrth Miss Jones!'

Tudur Budr

Prociodd Tudur o yn ei drwyn â'i gleddyf.

'Ildia, neu bydd yn rhaid i ni dy ladd!' bloeddiodd.

'Dwi'n ildio!' Llyncodd Dyfan ei boer, gan godi ei ddwylo i'r awyr.

Rholiodd Tudur ei lygaid. Doedd cael gelyn pennaf mor llwfr â Dyfan yn fawr o hwyl. Roedd o wastad yn ildio heb drio brwydro.

'Beth wnawn ni ag o?' holodd Eifion.

'Ei glymu i fyny!' meddai Darren. 'Ei orfodi i wneud symiau!'

Tudur Budr

'Gwneud iddo fwyta llysiau!' awgrymodd Eifion.

Ond roedd gan Tudur syniad gwell.

'Siarada neu mi fyddwn ni'n cosi dy draed di!' gwaeddodd.

Trodd Dyfan yn welw. Fedrai o ddim dioddef cael rhywun yn cosi ei draed.

'Na, plîs, unrhyw beth ond hynny!' sgrechiodd.

'Iawn,' meddai Tudur. 'Bydd rhaid i ti ddweud ble mae'r trysor.'

'Pa drysor?'

'Mae gan bob môr-leidr drysor,' atebodd Tudur. 'Ble rwyt ti wedi'i guddio?'

WAM!

Agorodd drws yr ysgol yn sydyn. Cafodd y plant sioc o weld cysgod mawr yn disgyn drostyn nhw. Miss Jones oedd yno, poendod mwyaf Dosbarth 3. Gwisgai het bluog, bŵts uchel, mawr a chlwtyn du dros un llygad.

'O diar,' meddai Tudur.

'TUDUR! BETH AR WYNEB Y DDAEAR WYT TI'N EI WNEUD?' taranodd Miss Jones.

'Dim!' meddai Tudur.

'HELP! Miss! Maen nhw'n gas wrtha i!' llefodd Dyfan.

'YDI HYN YN WIR, TUDUR?' rhuodd.

'Chwarae ydyn ni, Miss,' gwichiodd Tudur. 'Chwarae môr-ladron.'

'DIGON!' gwaeddodd Miss Jones. 'I'ch llinell yn daclus, bawb. Ond nid ti, Tudur — tyrd yma!'

Tudur Budr

Estynnodd ei llaw. 'Mi gymera i dy gleddyf os nad oes ots gennyt ti.'

'Ond, Miss, mae gan bob môr-leidr gleddyf!' meddai Tudur.

'Ddim yn fy nosbarth i!' gorchmynnodd Miss Jones. 'Ac mae hynny'n wir am y gweddill ohonoch chi hefyd!'

Cerddodd Dosbarth 3 heibio'n un llinell, gan roi eu cyllyll a'u drylliau dŵr i'w hathrawes. Rhoddodd Miss Jones yr arfau dan glo yn ei chwpwrdd.

'Llyfrau allan,' gorchmynnodd. 'Gwneud symiau fyddwn ni am yr hanner awr nesa. Bydd unrhyw un sy'n mynnu siarad yn gorfod dod i'm gweld i.'

Ochneidiodd Tudur. Roedd o'n eithaf siŵr nad oedd môr-ladron go iawn yn gwneud symiau. Fe ddylai fod wedi amau y byddai Miss Jones yn difetha popeth, a hynny pan oedd pawb yn eu hwyliau.

PENNOD 2

Rhwbiodd Dyfan-Gwybod-y-Cyfan ei ben
a syllu ar Tudur. Roedd o am dalu'r pwyth yn
ôl i'r mwlsyn drewllyd. Hwyrach y dylai roi
mwydyn i lawr ei gefn? Ond na, doedd gan
Tudur ddim ofn mwydod; a dweud y gwir,
roedd o wrth ei fodd â nhw. Hwyrach y
gallai ei wthio i bwll o ddŵr budr? Fyddai
hynny ddim yn gweithio chwaith – doedd
dim yn well gan Tudur na bod yn fudr.

Tudur Budr

Na, byddai angen cynllun cyfrwys, rhywbeth na fyddai Tudur byth yn ei ddisgwyl.

Fel fflach, cofiodd am beth roedd Tudur wedi bod yn mwydro amdano'n gynharach. Trysor môr-leidr. Gwenodd Dyfan yn slei wrtho'i hun. Os mai trysor oedd Tudur ei eisiau, byddai'n ei arwain yn syth tuag ato. Y cyfan oedd ei angen arno oedd map. Gwnaeth Dyfan yn siŵr nad oedd Miss Jones yn edrych arno cyn rhwygo tudalen o'i lyfr sgrifennu. Nawr, ble fyddai Tudur yn disgwyl dod o hyd i drysor? Rhywle peryglus fel toiledau'r merched, neu, gwell fyth . . . goleuodd llygaid Dyfan. Roedd o wedi meddwl am y lle perffaith. Fedrai o ddim aros – byddai Tudur mewn cymaint o drwbwl!

Amser cinio, roedd Tudur a'i griw o fôr-ladron yn llercian o amgylch y cae chwarae.

15

Tudur Budr

'Helô, Tudur!' gwichiodd llais.

Trodd Tudur ar ei sawdl. Daria, Arianrhod
Melys oedd yno! Roedd Arianrhod yn byw
drws nesaf iddo ac wedi bod mewn cariad
ag o erioed.

'Ydych chi'n chwarae môr-ladron?' holodd.
'Ga i chwarae?'

'Na,' meddai Tudur. 'Dos i chwarae gyda dy
ffrindiau dy hun.'

'Maen nhw'n chwarae mamis a dadis,'
cwynodd Arianrhod. 'Dwi eisiau bod
yn fôr-leidr!'

Tudur Budr

'Wel, chei di ddim,' meddai Tudur. 'Dwyt ti ddim wedi gwisgo fel môr-leidr. A ph'run bynnag, merch wyt ti.'

'Mae merched yn gallu bod yn fôr-ladron,' meddai Arianrhod.

'Nac ydyn ddim,' atebodd Tudur. 'Fi yw'r capten a does dim merched ar fy llong i.'

Snwffiodd Arianrhod. 'Fedri di ddim fy rhwystro i,' meddai. 'Os ydw i eisiau bod yn fôr-leidr yna mi ga i fod, a dyna ddiwedd arni!'

Ochneidiodd Tudur. Arianrhod fyddai'r gyntaf i gerdded y planc pan fyddai ganddo ei long ei hun.

Yn sydyn, bownsiodd rhywbeth oddi ar ei drwyn.

BOING!

Edrychodd Tudur o'i amgylch. Pwy oedd wedi taflu calon afal at frenin y môr-ladron?

'HA HA!' chwarddodd llais gwanllyd. 'Fedri di ddim fy nal i! Na na na na na!'

Tudur Budr

Dechreuodd Dyfan-Gwybod-y-Cyfan redeg i ffwrdd.

'Daliwch o!' gwaeddodd Tudur.

Ac i ffwrdd â nhw! Daeth y ras i ben yn gyflym iawn gan fod Dyfan yn arafach na chrwban hynaf y byd. Yn fuan iawn, roedd wedi'i ddal a heb un ffordd o ddianc.

'Cadw draw! Mi ddyweda i wrth Miss Jones!' meddai Dyfan gan ymladd am ei wynt.

Ysgydwodd Tudur ei ben. 'Ddim y tro hwn – nid hi sydd ar ddyletswydd heddiw. Oes goglais arnat ti, Dyfan?'

'Paid â mentro!' meddai Dyfan.

Cydiodd Tudur yn ei fraich. Wrth i Dyfan wingo disgynnodd rhywbeth o'i boced. Llamodd Darren amdano.

'AHARRR! Beth yw hwn?' gwaeddodd.

'Fi piau o,' meddai Dyfan. 'Rho fo yn ôl i mi!'

Estynnodd Tudur ei law. 'Gad i mi ei weld.'

Agorodd Tudur y darn papur oedd wedi'i

Tudur Budr

blygu. Roedd o wedi'i rwygo ar yr ymylon ac yn frown gan faw.

Rhythodd Tudur arno'n gegagored.

'Map trysor!'

Heidiodd y gweddill o'i amgylch.

'Edrychwch – y benglog a'r esgyrn croes!' meddai Tudur yn gyffro i gyd. 'Mae hynny'n golygu mai map trysor môr-leidr ydi o.'

Tudur Budr

Trodd tuag at Dyfan. 'Ble gefaist ti hwn?'

Cododd Dyfan ei ysgwyddau. 'Os oes rhaid i ti gael gwybod, mi ddois o hyd iddo fo mewn hen lyfr.'

'Ro'n i'n gwybod!' meddai Tudur wedi cynhyrfu'n lân. 'Mae hwn yn siŵr o fod yn filoedd o flynyddoedd oed.'

Syllodd Darren yn syn. 'Wyt ti'n meddwl bod yno drysor go iawn? Fel aur a diamwntau ac ati?'

'Wrth gwrs,' meddai Tudur. 'Ac mi ddyweda i rywbeth arall wrthyt ti, mae o wedi'i gladdu'n agos iawn i fan hyn. Cae ein hysgol ni yw hwn.' Pwyntiodd at y map.

Brysiodd Tudur a'i griw môr-ladron i ffwrdd ag Arianrhod yn eu dilyn. Gwyliodd Dyfan-Gwybod-y-Cyfan bawb yn mynd gan wenu'n braf. Roedd ei gynllun gwych yn gweithio i'r dim.

PENNOD 3

'Iawn,' meddai Tudur, gan agor y map. 'Mae'n
rhaid bod y trysor wedi'i gladdu rywle fan
hyn.' Roedden nhw'n sefyll ar y cae chwarae
yr oedd Mr Sarrug yn ei baratoi yn yr haf ar
gyfer chwarae criced.

'Ond ble?' holodd Eifion. 'Allwn ni ddim
palu'r cae cyfan.'

Tudur Budr

'Dwi'n gwybod!' gwaeddodd Arianrhod. 'Yr X sy'n dangos y lleoliad!'

'Ro'n i ar fin dweud hynny,' meddai Tudur. 'Yr X sy'n dangos y lleoliad – dyna ble mae'r môr-ladron yn claddu eu trysor bob tro.'

'Fan yma wyt ti'n feddwl?' gofynnodd Eifion.

Edrychodd Tudur yn fanylach ar yr X fach ddu ar y map. Roedd rhywun wedi bod mor garedig â sgrifennu 'TRYSOR' wrth ei hymyl.

'Dyna fo!' gwaeddodd Tudur. 'Dewch, dechreuwch balu!'

'Ia, ond ble yn union?' holodd Darren. Gwgodd Tudur. Doedd darllen map ddim yn un o'i gryfderau. Roedd yn well o lawer am roi gorchmynion.

'Beth am y cliw yma?' awgrymodd Arianrhod, gan bwyntio at eiriau blêr ar y map.

Tudur Budr

Darllenodd Tudur y cliw yn uchel.
'"Gwylfan Jones, ugain cam Y"'.

'Tydi hynny ddim yn gwneud synnwyr,' meddai Darren. 'Beth yw "Gwylfan Jones"?'
Edrychodd pawb yn syn.

'Man gwylio Miss Jones!' meddai Eifion. 'Mae hi wastad yn eistedd yn yr un lle pan mae hi ar ddyletswydd yn y cae chwarae.'

'Y fainc!' gwaeddodd Tudur.

Rhuthrodd pawb draw yno. Dyna ryfedd fod map hynafol yn sôn am Miss Jones, ond roedd Tudur yn rhy brysur yn darllen rhan nesaf y cliw i boeni am hynny.

'Ugain cam Y.' Gwgodd.

'Hwyrach fod rhan o'r gair ar goll,' meddai Darren. 'Fel, ugain cam ysgafn.'

'Neu ugain cam ych a fi!' awgrymodd Arianrhod.

'Ymlaen!' bloeddiodd Eifion. 'Ugain cam ymlaen mae'n ei feddwl!'

Tudur Budr

Safodd Tudur â'i gefn at y fainc a chamu
ugain cam.

'Un deg saith, un deg wyth, un deg
naw, dau –' Arhosodd yn ei unfan. Roedden
nhw wedi cyrraedd sgwâr bychan o borfa
a oedd yn amlwg newydd ei dorri'n daclus.
Roedd yn cael ei warchod gan arwydd
mawr.

'Fan hyn,' meddai Tudur. 'Rhaid i ni balu
fan hyn.'

CADWCH ODDI
AR Y BORFA
neu gwae chi!
S. SARRUG Gofalwr yr Ysgol.

Tudur Budr

'Y cae criced?' holodd Darren. 'Dwyt ti ddim o ddifri! Bydd Mr Sarrug yn siŵr o'n lladd ni.'

Roedd Mr Sarrug yn ymfalchïo yn ei gae criced, ac yn dyfrio a thorri'r borfa bob wythnos. Byddai unrhyw un a gâi ei ddal yn cerdded dros y cae mewn peryg bywyd.

'Wel, dyna ni felly,' ochneidiodd Darren.

'Dydyn ni ddim am roi'r ffidil yn y to rŵan!' meddai Tudur. 'Mae trysor wedi'i gladdu 'ma!'

'Ond beth os cawn ni'n dal?' holodd Eifion.

'Chawn ni ddim ein dal,' atebodd Tudur. 'Allwn ni lenwi'r twll, fel na fydd Mr Sarrug yn sylwi.'

'Chi wedi anghofio am un peth pwysig,' meddai Darren. 'Does gynnon ni ddim rhaw.'

Neidiodd Arianrhod i fyny ac i lawr yn gyffro i gyd. 'Mae gen i syniad! Dilynwch fi!'

Tudur Budr

Dilynodd pawb hi yn ôl i'r cae chwarae
ac at sièd y gofalwr. Roedd y drws ar agor,
ond roedd yna broblem – Mr Sarrug. Roedd
yn pendwmpian yn ei gadair gynfas yr ochr
arall i'r sièd. Sleifiodd Arianrhod i mewn yn
ddewr ar flaenau ei thraed. Eiliad yn
ddiweddarach, estynnodd dair rhaw
drwy'r ffenest.

Tudur Budr

'Beth am Sarrug?' holodd Eifion, wrth iddyn nhw frysio yn ôl. 'Beth petai'n deffro ac yn sylweddoli bod ei offer wedi diflannu?'

'Paid â phoeni,' meddai Tudur. 'Fe gawn ni rywun i eistedd ar y fainc a chadw golwg ar bethau.'

Cafwyd pleidlais gyflym, ac etholwyd Arianrhod i wneud y gwaith hwnnw. Cytunodd hithau ar yr amod y byddai hi'n cael dal y map trysor.

'Os weli di Sarrug yn dod, yna chwibana,' meddai Tudur wrthi.

'Iawn, mi dria i 'ngorau,' addawodd Arianrhod. 'Ond dwi ddim yn dda iawn am chwibanu.'

PENNOD 4

Dechreuodd pawb balu. Roedd yn waith caletach nag yr oedd Tudur wedi'i ddychmygu. Wedi deng munud roedden nhw'n boeth ac yn chwyslyd.

'Dwi 'di blino,' cwynodd Eifion.

'Mae 'mreichiau i'n brifo!' wfftiodd Darren.

'Daliwch ati,' meddai Tudur yn fyr o wynt. 'Mae'n rhaid 'i fod o yma'n rhywle.'

Tudur Budr

Aeth y palu yn ei flaen. Aeth y twll yn ddyfnach ac yn ddyfnach. Tyfodd y pentwr pridd yn uwch ac yn uwch.

CLANC!

Peidiodd Tudur â phalu. Roedd ei raw wedi taro yn erbyn rhywbeth caled.

'Dwi 'di dod o hyd iddo!' bloeddiodd. 'Brysiwch! Helpwch fi i'w dynnu allan!'

Ymbalfalodd y tri yn y mwd. Yno roedd rywbeth llyfn a thrwm, yn union fel cist drysor. *Dyma ni*, meddyliodd Tudur, gan dynnu. Byddai'n gyfoethog ar ôl hyn! Aur, diamwntau, gemwaith . . . Gallai brynu unrhyw beth yn y byd – robot, pwll nofio, digon o hufen iâ am flwyddyn gyfan . . .

WWFF! Dyma nhw'n llwyddo i godi'r lwmp trwm i'r wyneb. Rhythodd Tudur arno. O'i flaen roedd carreg fawr, fudr. Disgynnodd Tudur i'r llawr yn drwm, ac yn wan.

Tudur Budr

'Beth sy'n bod, Tudur?' chwarddodd llais main. 'Wnest ti ddim dod o hyd i drysor?'

Safai Dyfan-Gwybod-y-Cyfan uwch ei ben, a gwên gyfoglyd ar ei wyneb.

'Dwi ddim yn deall,' cwynodd Tudur. 'Mae'r map yn dweud mai dyma'r man i balu.'

'Dwi'n gwybod!' meddai Dyfan, gan biffian chwerthin.

'Mae'n *rhaid* mai dyma'r lle. Mae'r X yn nodi'r lleoliad,' meddai Tudur.

Tudur Budr

'O, dyma'r lle cywir, ti'n berffaith iawn,' gwenodd Dyfan. 'Ddylwn *i* wybod.'

Syllodd Tudur. Yn araf, deallodd beth oedd wedi digwydd. Roedd o wedi cael ei dwyllo! Doedd dim trysor. Doedd y map yn ddim ond un celwydd mawr! Y crafwr cyfrwys Dyfan oedd wedi cynllunio'r holl beth.

Ar hynny, rhedodd Arianrhod tuag atyn nhw, a'i gwynt yn ei dwrn.

'Pfft! Pfft!' chwythodd, yn ceisio chwibanu.

Tudur Budr

'Dos o'ma!' meddai Dyfan yn swta. 'Ni'n brysur.'

'Ond gwrandewch,' plediodd Arianrhod 'Mae ...'

'Ti wnaeth!' bloeddiodd Tudur, yn rhythu ar Dyfan.

'Wrth gwrs mai fi wnaeth,' chwarddodd Dyfan. 'Fi luniodd y map a gneud yn siŵr y byddet ti'n dod o hyd iddo. Ti mor dwp! Ro'n i'n gwybod y byddet ti'n llyncu'r cyfan.'

'Ond ... pam?' holodd Tudur.

'Er mwyn i ti gael y bai, wrth gwrs,' meddai Dyfan. 'Aros di nes y bydd Mr Sarrug yn gweld ei gae criced gwerthfawr. Fyddi di mewn dŵr poeth go iawn!'

'Ond dy fai di yw'r cyfan!' chwyrnodd Tudur.

'Wrth gwrs,' meddai Dyfan yn falch. 'Ond, ar ddiwedd y dydd, does neb yn mynd i dy gredu di!'

'Ti'n meddwl hynny, wyt ti?' rhuodd llais
dwfn.

Trodd Dyfan-Gwybod-y-Cyfan ar ei sawdl.
Aeth yn wyn fel y galchen. Wrth ei ymyl safai
Mr Sarrug, yn biws gan gynddaredd.

'Mi driais i dy rybuddio di,' sibrydodd
Arianrhod.

Edrychodd Mr Sarrug ar y twll, ac yna
ar Dyfan.

Tudur Budr

'Felly dy syniad campus di oedd hyn, ie? Wel, gad i ni weld beth fydd gan Miss Jones i'w ddweud am hyn.'

'O-o-ond . . . nid fi wnaeth! Tudur balodd y twll!' protestiodd Dyfan.

Gwgodd Mr Sarrug ar Tudur a'i ffrindiau. 'Reit! Dwi eisiau'r twll 'ma wedi'i lenwi cyn i mi ddod 'nôl.'

Yna llusgodd Mr Sarrug Dyfan yn ôl i'r ysgol, a hwnnw'n crio ac yn dal i brotestio'i fod yn ddieuog.

Arhosodd Tudur nes iddyn nhw fynd o'r golwg, cyn gollwng ochenaid fawr o ryddhad.

'O, Dyfan druan,' meddai Arianrhod.

'Ie, druan bach o Dyfan,' meddai Tudur gan ysgwyd ei ben.

Edrychodd i gyfeiriad ei griw môr-ladron â gwên ar ei wyneb.

'AHARRRRR!' llefodd pob un.

BYRGYR!

PENNOD i

Roedd Tudur yn eistedd ar y soffa gyda Siwsi a Dad, yn gwylio'r teledu. Roedd Capten Taran yn cael ei erlid gan y Blob Anhygoel.

'Saetha fo! Defnyddia dy fellten fileinig!' bloeddiodd Tudur.

Daeth Mam i'r stafell ar frys.

'Mae gen i newyddion cyffrous iawn!' meddai.

Tudur Budr

Cododd Tudur ei ben. Efallai fod yr ysgol yn mynd i fod ar gau am yr wythnos – neu, gwell fyth, efallai ei bod wedi llosgi i'r llawr? Beth os oedd Miss Jones wedi'i harestio am fod yn greulon wrth blant?

'Dwi wedi cael gwahoddiad i sgrifennu i *Papur Pen-cae*,' meddai Mam. 'Maen nhw am i mi sgrifennu adolygiadau wythnosol o dai bwyta.'

'Ardderchog!' meddai Dad.

'Maen nhw eisiau i ti wneud beth?' holodd Tudur.

'Am i mi fynd i fwyty a sgrifennu amdano yn y papur newydd,' eglurodd Mam. 'Maen nhw'n awyddus i gael yr adolygiad cyntaf yn fuan, felly dwi am drefnu bwrdd ar gyfer swper nos Sadwrn.'

'Gwych!' meddai Dad. 'Wyt ti'n cael mynd â rhywun hefo ti?'

'Ydw,' atebodd Mam. 'Ac i goroni'r cyfan,

Tudur Budr

mae'r papur newydd yn talu'r bil. Byddwn ni'n cael pryd o fwyd am ddim!'

Dechreuodd Tudur ddangos diddordeb. Pryd AM DDIM? Pam nad oedd neb wedi sôn am hyn yn gynt?! Roedd bwyd am ddim wrth ei fodd. Ar ben hynny, roedd yn gwybod am y tŷ bwyta perffaith – Bwyty Byrgyrs Blasus. Yn ôl Darren, roedd y Cawr-fyrgyr Cawsiog Campus mor fawr, prin y gallai ei ffitio yn ei geg.

Tudur Budr

'Wyt ti'n cael dewis unrhyw dŷ bwyta?' holodd Tudur.

'Wrth gwrs,' atebodd Mam.

'Grêt!' meddai Tudur.

'O na,' meddai Dad. 'Dwyt *ti* ddim yn cael dod hefo ni.'

Diflannodd y wên oddi ar wyneb Tudur. 'Pam?'

'Oherwydd bob tro fyddwn ni'n mynd â thi allan am swper, mae'r noson yn troi'n hunllef,' atebodd Dad. 'Cofio'r tro diwethaf?'

Roedd Tudur yn cofio'n iawn. Roedd wedi colli ei ddiod dros ffrog Siwsi ac wedi cael pysen yn sownd yn ei drwyn. Ond nid ei fai o oedd hynny – gallai fod wedi digwydd i unrhyw un!

'Bydd pethau'n wahanol y tro 'ma!' addawodd.

'Na! Anghofia'r peth,' meddai Dad.

'Beth amdana i?' cwynodd Siwsi. 'Dwi byth yn cael mynd i fwytai neis.'

Edrychodd Mam ar Dad. Roedd hi wedi gobeithio cael pryd rhamantus i ddau. Ond roedd Siwsi'n dweud y gwir; doedden nhw bron byth yn mynd allan am fwyd fel teulu. A phetai Siwsi'n dod, fedren nhw ddim gadael Tudur gartref.

'O'r gorau,' ochneidiodd Mam. 'Fe awn ni i gyd.'

'HWRÊÊÊÊÊ!' bloeddiodd Tudur.

'Ar un amod,' meddai Mam. 'Rhaid i ti fyhafio.'

Tudur Budr

'Iawn!' cytunodd Tudur.

'A dwyt ti ddim yn mynd i unman nes dy fod di wedi tacluso dy stafell wely.'

'Iawn, iawn,' meddai Tudur. Os oedd hynny'n golygu ei fod am gael bwyta yn y Bwyty Byrgyrs Blasus roedd yn fodlon gwneud unrhyw beth – hyd yn oed tacluso'i stafell wely. Trodd ei sylw yn ôl at y teledu.

'Wel, amdani!' meddai Mam.

'Beth, rŵan?' holodd Tudur.

'Ie,' meddai Mam. 'Ac fe fydda i i fyny mewn munud i weld.'

PENNOD 2

I fyny'r grisiau, caeodd Tudur ddrws ei stafell wely a phenlinio ar lawr.

'Eric?' sibrydodd. 'Eric, fi sy 'ma!'

Estynnodd dan ei wely a thynnu'r bowlen bysgod tuag ato. Y tu mewn iddi roedd ychydig o gerrig mân, chwyn mwdlyd a llyffant bychan gwyrdd. Cododd Tudur Eric o'r bowlen a'i osod ar y carped. Fo oedd

Tudur Budr

anifail anwes diweddaraf Tudur. Roedd o wedi cael ambell anifail anwes arall – ond doedd dim un wedi para'n hir iawn. Cyn gynted ag y byddai Mam yn dod i wybod amdanyn nhw, roedd hi'n mynnu cael gwared ohonyn nhw. O'r pwll yn y parc ddaeth Eric. Roedd Tudur yn gobeithio y byddai, un diwrnod, yn cynhyrchu penbyliaid, er nad oedd yn siŵr a oedd bechgyn llyffantod yn gallu cael babanod. Yn y cyfamser, roedd yn gobeithio gallu dysgu triciau i Eric.

Estynnodd Tudur fisged wedi hanner ei bwyta o'i boced.

'Ti'n llwglyd, Eric?'

Doedd Eric ddim yn ymddangos felly. Efallai nad oedd yn hoff o fisgedi jam.

Tudur Budr

Ar hynny, clywodd Tudur sŵn traed ar y grisiau. O na – roedd Mam ar ei ffordd! Petai hi'n dod o hyd i Eric byddai yno dipyn o le. Gwthiodd Tudur y bowlen bysgod o dan y gwely, a thaflu un o'i bants dros Eric.

'CRAAAAWC!'

'Shhh! Bydd ddistaw!' hisiodd Tudur.

Eiliad yn ddiweddarach, ymddangosodd pen Mam heibio'r drws.

'Tudur, efo pwy oeddet ti'n siarad?'

'Fi? Neb,' atebodd Tudur, yn ddiniwed.

Edrychodd Mam yn amheus arno. 'Rwyt ti i *fod* yn tacluso dy stafell.'

'Dyna dwi *yn* ei wneud,' meddai Tudur. 'Dwi wedi dechrau. Dwi wedi, ym . . . plygu 'mhyjamas.'

Edrychodd Mam ar ei byjamas a oedd yn gorwedd yn flêr ar y llawr. Fel pob diwrnod arall, roedd stafell wely Tudur yn edrych fel bod corwynt wedi hyrddio trwyddi.

45

Tudur Budr

'Ydi'r dillad isaf acw'n fudr?' holodd Mam, gan bwyntio. 'Pam nad ydyn nhw yn y fasged olchi?'

Edrychodd Tudur arnyn nhw. Yn sydyn, daeth y pants yn fyw.

'AAAA!' sgrechiodd Mam. 'Mae 'na rywbeth ynddyn nhw!'

'Ble?' meddai Tudur.

'Tu fewn. Maen nhw newydd symud!'

Tudur Budr

Roedd y pants yn dianc – gan sboncio ar hyd y llawr yn fân ac yn fuan. Roedd Mam wedi gweld digon. Brasgamodd i'w cyfeiriad a'u codi.

'CRAAAAWC!'

'LLYFFANT!' gwichiodd Mam.

'O ia!' meddai Tudur. 'Tybed o ble ddaeth o?'

Ochneidiodd Mam. 'Sawl gwaith dwi wedi dweud wrthyt ti, Tudur? Dwyt ti ddim i gadw anifeiliaid yn dy stafell wely. Mi fydd yn *rhaid* iddo fynd!'

'Ond dwi ddim wedi cael cyfle i'w hyfforddi eto,' meddai Tudur. 'Ac mae o'n llwglyd.'

'Mwy o reswm dros ei roi y tu allan, lle ddylai o fod,' meddai Mam.

'Ga i ei gadw am ddiwrnod neu ddau eto?' ymbiliodd Tudur.

'Na!' meddai Mam. 'Dos â fo i'r ardd, y funud 'ma.'

Tudur Budr

Llusgodd Tudur ei draed trwy'r drws cefn ag Eric yng nghwpan ei ddwylo. Roedd hi'n pigo bwrw. Aeth i waelod yr ardd a rhoi'r creadur ar garreg fawr, lwyd.

'Sori, Eric,' ochneidiodd. 'Mae Mam yn dweud nad wyt ti'n cael aros.'

Syllodd y llyffant arno â'i lygaid mawr, trist.

'Dwi'n gwybod, ond dwi ddim yn cael dy gadw,' meddai Tudur. 'Mi fyddi di'n iawn, yn byddi?'

'CRAAAAWC!'

Mwythodd Tudur ei ben am y tro olaf, cyn ei throi 'nôl at y tŷ. Pan drodd i edrych dros ei ysgwydd, doedd Eric ddim wedi symud. Ochneidiodd Tudur. Roedd ei adael mewn gardd ddiarth yn greulon, yn enwedig â chath drws nesaf yn sniffian rhwng y llwyni.

Tudur Budr

Byddai'n llawer hapusach yn ôl yn y pwll. Edrychodd Tudur i gyfeiriad y tŷ . . . doedd neb yn gwylio. Hwyrach y cadwai Eric am ddiwrnod neu ddau arall – hyd nes y byddai'n gallu mynd ag o 'nôl i'r parc.

PENNOD 3

Daeth nos Sadwrn, ac roedd pawb wrthi'n paratoi i fynd i'r bwyty. Roedd Tudur wedi llwyddo i guddio Eric drwy'r wythnos. Ond roedd yn poeni am y llyffant bach. Doedd Eric ddim wedi cyffwrdd y Creision Coco roedd wedi'i gadw iddo ers amser brecwast. Penderfynodd Tudur nad oedd ond un peth y gallai ei wneud.

Tudur Budr

Am saith o'r gloch heidiodd teulu Tudur i'r car, ac i ffwrdd â nhw.

'Cofia fyhafio, Tudur, neu mi fyddi di'n mynd adref ar dy union,' rhybuddiodd Mam.

'Ni wedi trafod hyn yn barod!' cwynodd Tudur.

'Defnyddia dy gyllell a fforc,' meddai Mam.

'A phaid chwarae â dy fwyd,' ychwanegodd Dad.

'Ac os wnei di golli rhywbeth ar fy ffrog i, mi wna i sgrechian,' ychwanegodd Siwsi.

Rholio'i lygaid wnaeth Tudur. Byddai wedi aros gartref petai'n gwybod bod ei deulu am wneud cymaint o ffws â hyn. Hawdd taeru eu bod nhw'n mynd i gael te efo'r frenhines! O'i flaen gallai weld arwydd Bwyty Byrgyrs Blasus yn fflachio'n llachar. Roedd wedi penderfynu eisoes beth fyddai'n ei archebu: Cawr-fyrgyr Cawsiog Campus gyda sglodion a dim salad. Daeth dŵr i'w

Tudur Budr

ddannedd, a bron y gallai flasu'r byrgyr mawr yn nofio mewn . . . Ond na, roedden nhw newydd yrru'n syth heibio'r lle! Ble roedd Mam yn mynd? Trodd y car i'r dde a dod i stop.

'Dyma ni!' gwaeddodd Mam. 'Bwyty Paradwys!'

Tudur Budr

Syllodd Tudur. 'Ond ro'n i'n meddwl ein bod yn mynd i'r Bwyty Byrgyrs Blasus!'

Chwarddodd Mam. 'Beth ar wyneb y ddaear wnaeth i ti feddwl hynny?'

'Fe ddywedaist y gallen ni ddewis ble i fynd,' cwynodd Tudur.

'Do,' meddai Mam. 'Ac fe ddewisais i Paradwys. Mae'n lle newydd ac yn go grand.'

Dringodd Tudur allan o sedd gefn y car a llusgo'i draed tuag at ddrws y bwyty. Doedd o ddim eisiau bwyta yn Paradwys. Dychmygai mai dim ond bwyd afiach a diflas yr oedd ei rieni'n hoff o'i fwyta fyddai yno.

Ymlwybrodd i mewn ac edrych o'i gwmpas. Gallai glywed sŵn piano'n canu yn y cefndir. Roedd pobl yn eistedd wrth fyrddau yn syllu ar eu bwyd yng ngolau cannwyll.

'Www, mae'n edrych yn hyfryd!' meddai Mam.

Troi ei drwyn wnaeth Tudur. Petai o eisiau eistedd yn y tywyllwch gallai fod wedi mynd i'r sinema.

Camodd y prif weinydd ymlaen i'w cyfarch.

'Noswaith dda syr, madam. Ga i gymryd eich cotiau?'

'Ym . . . na, dim diolch,' meddai Tudur yn gyflym.

Roedd yn gwisgo'i siwmper las, ac wedi'i dewis am reswm arbennig. Roedd ganddi

Tudur Budr

boced fawr yn y blaen – digon mawr i
guddio llyffant. Wedi'r cyfan, fedrai o ddim
gadael Eric adref yn llwgu!

Aeth y gweinydd â nhw at eu bwrdd a
dangos y fwydlen. Darllenodd Tudur hi'n
ddigalon.

Cyw iâr ar wely slwtsh
Llysiau mewn slops llwyd
Pysgod drewllyd wedi eu coginio mewn
sothach seimllyd

'Mmm, mae popeth yn swnio mor flasus!'
meddai Mam.

'Fedra i ddim penderfynu beth i'w gael!'
meddai Siwsi.

'Dwi'n gwybod beth hoffen i ei gael,'
meddai Tudur. 'Byrgyr caws a sglodion.'

'Does ganddyn nhw ddim byrgyrs yma,'
ochneidiodd Dad. 'Na sglodion. Mae hwn yn

Tudur Budr

dŷ bwyta crand. Tynna dy benelinau oddi ar y bwrdd, ac eistedd yn syth.'

Gwgodd Tudur. Yn Bwyty Byrgyrs Blasus roedd sglodion efo popeth. Byrgyrs a sglodion, byrgyrs caws a sglodion, sglodion a sglodion. Petai'n pwyso ymlaen gallai weld y ffenestri llachar wedi'u goleuo ar ochr arall y ffordd. Yn sydyn gallai deimlo rhywbeth yn cosi ei goes.

'AA HWW HA HAA!' chwarddodd.

'Shh!' hisiodd Mam. 'Beth sy'n bod arnat ti?'

Cyw iâr ar wely slwtsh
•
Llysiau mewn slops llwyd
•
Pysgod drewllyd wedi eu coginio mewn sothach seimllyd

Tudur Budr

'Dim,' meddai Tudur. 'Dim ond fod gen i ...
HI HA HO!'

'TUDUR! RHO'R GORAU IDDI!'
brathodd Dad.

Cododd Tudur y lliain bwrdd ac edrych.
Help! Roedd Eric wedi dianc o'i boced ac yn
dringo i lawr ei goes. Estynnodd Tudur ei
fraich i geisio cydio ynddo, ond neidiodd y
llyffant oddi wrtho, a glanio ar y llawr. O na.
Beth nesaf? Sut allai achub Eric heb i'w rieni
sylwi?

Tudur Budr

Plygodd Mam yn ei blaen a siarad yn dawel. 'Peidiwch â throi nawr,' meddai, 'ond dwi'n siŵr mai Huw Hallt sydd wrth y bwrdd nesaf.'

'Pwy?' holodd Siwsi.

'Huw Hallt. Yr adolygydd bwyd enwog. Mae o ar y teledu.'

Trodd Tudur ac edrych. Yn eistedd wrth y bwrdd nesaf roedd dyn crwn gyda'r mwstás mwyaf blewog a welodd erioed. Roedd staff y bwyty'n hofran o'i amgylch fel pryfed.

Tudur Budr

'Tudur, paid â syllu. Mae'n anghwrtais!' sibrydodd Mam.

Ochneidiodd Tudur. Dyma'r tro olaf y byddai o'n dod i dŷ bwyta crand. Doedd dim posib symud heb gael pryd o dafod! Ond ar y foment hon roedd ganddo bethau eraill ar ei feddwl. Roedd yn rhaid iddo ddal Eric.

Ar hynny, cyrhaeddodd y gweinydd. Archebodd Tudur y peth cyntaf ar y fwydlen – Cyw iâr ar wely slwtsh. Tra oedd ei rieni'n brysur yn siarad, diflannodd Tudur o dan y lliain bwrdd. Fedrai o ddim credu ei lygaid. Na! Doedd dim golwg o Eric. Gallai fod yn unrhyw le. Petai Mam yn ei weld fe fyddai hi'n gwylltio'n gacwn.

PENNOD 4

Edrychodd Tudur o amgylch y tŷ bwyta'n gyflym. Allai Eric ddim fod wedi mynd yn bell. Roedd yn siŵr o fod yn cuddio dan gadair neu . . . O NA! Dyna lle roedd o – ar fwrdd Huw Hallt! Roedd Mr Hallt yn darllen llyfr wrth iddo aros am ei bwdin. Doedd o ddim wedi sylwi ar Eric eto. Neidiodd Tudur ar ei draed.

Tudur Budr

'Alli di ddim aros yn llonydd?' cwynodd Mam.

'Galla . . . na . . . dwi, ym . . . angen mynd i'r tŷ bach,' mwmiodd Tudur.

'Nawr?' holodd Mam. 'Bydd dy fwyd di yma unrhyw funud.'

'Fydda i ddim yn hir,' meddai Tudur.

Cerddodd i gyfeiriad y toiledau. Wrth iddo fynd heibio bwrdd Huw Hallt, plygodd Tudur gan esgus cau ei gareiau. Da iawn – doedd neb yn talu sylw iddo. Aeth i lawr ar ei bedwar a chropian draw tuag at y bwrdd, a chodi ei ben i sbecian. Edrychodd Eric yn ôl arno. Yn araf, sleifiodd llaw Tudur ar hyd y bwrdd, yn barod i gydio ynddo.

Tudur Budr

Yr union foment honno, cyrhaeddodd gweinydd â llestr mawr. 'Eich pwdin, syr.'

Aeth Tudur ar ei gwrcwd o dan y bwrdd. Ble aeth Eric nawr? Wrth i'r gweinydd ddiflannu mentrodd gymryd cipolwg arall. Roedd Huw Hallt wrthi'n helpu ei hun i lond llwy fawr o dreiffl mafon. Wrth iddo godi honno i'w geg, sylwodd ar greadur bach llysnafeddog yn syllu'n syth arno.

'AAAA!' bloeddiodd. 'LLYFFANT!'

Yna digwyddodd popeth ar unwaith. Sgrechiodd hen wraig. Edrychodd Mam i gyfeiriad y sŵn a sylwi ar Tudur. Rhuthrodd holl staff y bwyty draw. Roedd un yn ceisio llorio'r creadur â chlamp o lwy gawl.

CLEC! WAM! BANG!

Neidiodd Tudur o'i guddfan.

'PEIDIWCH!' gwaeddodd dros y lle. 'Mi ddalia i o!'

Tudur Budr

Ond roedd gan Eric ei syniadau ei hun. Llamodd o amgylch y bwrdd ar ras.

CRASH! Disgynnodd powlenni, platiau a photel o win i'r llawr. Rhoddodd Eric un naid fawr a glanio ar ben Huw Hallt.

'AAAA!'

'Peidiwch â symud!' gwaeddodd Tudur.

Cododd y llestr pwdin a sleifio'n agosach, yn barod i ddal Eric.

'WEDI DY DDAL DI!' meddai, gan ddod â'r llestr i lawr yn gyflym.

Tudur Budr

Roedd yno dawelwch anghyfforddus. Ebychodd Mam. Griddfanodd Dad. Roedd ffrwd o hufen yn diferu i lawr wyneb yr adolygydd bwyd enwog, a dafnau o bwdin yn disgyn oddi ar ei drwyn. Cododd Tudur y llestr ac edrych oddi tano.

'Wps!' meddai. 'Unrhyw un wedi gweld llyffant?'

Tudur Budr

Hanner awr yn ddiweddarach, roedd teulu Tudur yn dal i wrthod siarad ag o. Roedd y rheolwr wedi'u tywys at y drws ac wedi dweud wrthyn nhw am beidio dod yn eu holau, byth. Doedd Tudur ddim yn deall pam roedd pawb mor grac. Dim ond llyffant oedd o, wedi'r cyfan. O ystyried yr holl ffws a ffwdan wnaeth Huw Hallt amdano, gallech daeru bod teigr wedi ymosod arno!

Ond doedd pethau ddim yn ddrwg i gyd. Roedd Tudur wedi llwyddo i achub Eric. Ac roedd gan Mam ei hadolygiad i'w sgrifennu, felly roedd yn rhaid iddyn nhw ddod o hyd i dŷ bwyta arall. Yn ffodus, roedd un lle arall digon cyfleus gerllaw.

'Ie?' holodd y weinyddes. 'Sut fedra i'ch helpu?'

'Cawr-fyrgyr Cawsiog Campus, os gwelwch yn dda,' meddai Tudur. 'Gyda sglodion.'

RHED!

PENNOD 1

'YN GYNT!' taranodd llais Miss Jones.
'RHEDEG DDYWEDAIS I, TUDUR, NID
CERDDED!'

Griddfanodd Tudur wrth iddo ddechrau
trotian. Roedd athrawon bob amser yn rhoi
pryd o dafod am redeg yn y coridorau. Ond
yn y gwersi Ymarfer Corff roedden nhw'n
gweiddi ar bawb am BEIDIO rhedeg. Pam na

Tudur Budr

fydden nhw'n penderfynu beth oedden nhw
ei eisiau? Llusgodd Tudur ei hun rownd y cae
chwarae a disgyn yn ddiog ar y borfa, ar ôl
iddo ddod yn olaf.

'Mae angen i rai ohonoch chi ymdrechu'n
galetach,' meddai Miss Jones, gan lygadu Tudur.
'Nawr, tra byddwch chi'n cael eich gwynt
atoch, mae gen i newyddion cyffrous. Dydd
Gwener nesaf, byddwn yn cynnal Diwrnod
Mabolgampau'r Ysgol.'

'Hwrê! Mabolgampau!' Roedd pawb wrth
eu bodd.

Grêt! meddyliodd Tudur. Roedd Diwrnod
Mabolgampau yn golygu diwrnod heb wersi
diflas. I goroni'r cyfan, roedd yn golygu cael
medalau. Roedd Darren wedi ennill dwy y
llynedd ac wedi'u gwisgo i'r ysgol bob dydd
am wythnos. Doedd Tudur erioed wedi
ennill medal. Yr agosaf a ddaeth at gael
medal oedd wrth ddod yn bedwerydd yn

Tudur Budr

y ras wy ar lwy. Byddai eleni'n wahanol. Roedd yn benderfynol o ennill a chael ei fachau ar fedal ddisglair. Dim ond mater o ddarganfod ras y gallai ei hennill.

'Felly, gwrandewch yn ofalus,' meddai Miss Jones. 'Dwi am ddarllen drwy'r rhestr o rasys. Rhowch eich llaw i fyny os ydych chi am gymryd rhan.'

Eisteddodd pawb â'u cefnau'n syth gan frwdfrydedd. Byddai'n rhaid bodloni ar sialens y bagiau ffa neu'r ras ddall lle roedd rhaid rhoi mwgwd dros eich llygaid (y llynedd, roedd Eifion wedi taro yn erbyn coeden) os nad oeddech chi'n cael eich enw i lawr ar gyfer y rasys gorau.

Tudur Budr

'Ras wib 60 metr,' meddai Miss Jones. 'Pwy fyddai'n hoffi cymryd rhan yn hon?'

'O, Miss, Miss!' gwaeddodd y dosbarth cyfan, gan chwifio'u dwylo yn yr awyr.

Aros yn dawel wnaeth Tudur. Doedd dim posib iddo ennill ras wib yn erbyn Tim Chwim. Roedd o'n gyflymach na milgi.

'Y ras deircoes?' holodd Miss Jones.

Gwgodd Tudur. O gofio'i lwc, byddai'n siŵr o gael ei baru gyda'r llipryn Trefor yna, neu'n waeth fyth, Dyfan-Gwybod-y-Cyfan. Byddai'n well iddo ddewis ras y gallai ei hennill ar ei ben ei hun.

Aeth Miss Jones yn ei blaen. Ras ferfa, ras rwystrau, ras wysg-dy-gefn ... erbyn iddi orffen, roedd pawb mewn ras – wel, bron pawb.

Cododd Tudur ei law.

'Beth amdana i, Miss?'

Ebychodd Miss Jones. 'Pam na wnest ti godi dy law fel pawb arall?'

'Am nad oedd yna ras roeddwn i'n ei hoffi,' meddai Tudur.

Crensiodd Miss Jones ei dannedd. Pam roedd yn rhaid i Tudur fod yn wahanol i bawb o hyd? Edrychodd ar ei rhestr – roedd y mwyafrif o'r rasys yn llawn erbyn hyn.

'Ydy dy rieni di'n bwriadu dod?' holodd.

'Siŵr o fod,' atebodd Tudur.

'Da iawn. Fe gei di gystadlu yn y ras gyfnewid rhywun-a-rhiant, felly,' meddai Miss Jones.

'Beth?' ebychodd Tudur.

'Paid â dweud "beth"!' bytheiriodd Miss

Tudur Budr

Jones. 'Ras gyfnewid yw hi, Tudur. Byddi di mewn tîm gydag un o dy rieni.'

Syllodd Tudur arni'n gegagored. Oedd Miss Jones wedi colli ei phwyll? Ei rieni? Byddai ganddo fwy o obaith ennill gyda gorila wedi'i stwffio.

'Ond . . . ond maen nhw'n HEN!' protestiodd.

'Dwi'n siŵr y byddan nhw'n iawn,' meddai Miss Jones. 'Dim ond i ti wneud yn siŵr y bydd un ohonyn nhw'n dod ar y dydd.'

Syrthiodd Tudur yn swp yn ei ôl ar y borfa. Roedd hyn yn ofnadwy. Byddai rhieni'n dod i Ddiwrnod Mabolgampau i wylio, nid i gymryd rhan! Am gywilydd! A beth bynnag, sut oedd disgwyl iddo ennill medal ac yntau'n cystadlu â'i fam neu ei dad?

PENNOD 2

Amser swper y noson honno, cododd Tudur y mater gyda'i rieni.

'Mae'n Ddiwrnod Mabolgampau'r ysgol ddydd Gwener nesa,' dechreuodd. 'Chi'n dod?'

'Wrth gwrs,' meddai Mam. 'Ry'n ni'n dod bob blwyddyn.''

'Achos ma Miss Jones wedi 'newis i ar gyfer y ras gyfnewid,' meddai Tudur.

Tudur Budr

'Paid â siarad â llond dy geg o fwyd,' meddai Mam. 'Pa ras gyfnewid?'

'Ras gyfnewid rhywun-a-rhiant,' meddai Tudur.

'Dyna hwyl,' gwenodd Dad. 'Pwy yw'r rhiant?'

'Wel, ti, wrth gwrs,' meddai Tudur. 'Ddywedais i y byddet ti'n cymryd rhan.'

Disgynnodd lwmp o datws stwnsh oddi ar fforc Dad.

'Ti am i mi redeg mewn ras gyfnewid – gyda *ti*?' holodd.

'Ydw,' atebodd Tudur.

Chwerthin wnaeth Mam a Siwsi.

'Does dim dim byd yn ddoniol yn y peth,' meddai Tudur, gan wgu.

'Sori,' meddai Mam, gan sychu'r dagrau o'i llygaid. 'Meddwl am dy dad yn rhedeg ras oeddwn i.'

'Beth sy mor ddoniol am hynny?' holodd

Tudur Budr

Dad. 'Ro'n i'n arfer chwarae pêl-droed, wyddost ti.'

'Pryd? Yn yr ysgol gynradd?' chwarddodd Siwsi.

'Wel,' meddai Mam, 'beth amdana i 'te, Tudur?'

'Dim peryg,' atebodd Tudur. 'Dwi eisiau ennill!'

'Diolch yn fawr,' snwffiodd Mam. 'Falle y dylet ti a fi gystadlu, Siwsi?'

Piffian chwerthin wnaeth Tudur. Byddai hynny *yn* ddoniol – ei fam a Siwsi mewn ras gyfnewid! Y tro diwethaf iddo weld Mam yn rhedeg oedd pan welodd hi gorryn yn y bath.

Trodd ei sylw yn ôl at Dad. 'Felly, fyddi di'n gallu dod?'

Ebychodd Dad. 'Hmm. Dwi ddim yn siŵr.'

'Ond mae'n *rhaid* i ti! Dwi wedi addo i Miss Jones!' ebychodd Tudur. 'A dyma f'unig gyfle i ennill medal!'

Tudur Budr

'Cawn weld,' meddai Dad. 'Mae'n gyfnod prysur iawn yn y gwaith ar hyn o bryd.'

Ar ôl swper aeth Dad allan i dorri'r clawdd o flaen y tŷ. Cafodd Tudur ei atgoffa gan ei fam nad oedd Chwiffiwr wedi bod am dro. Roedd wrthi'n cau'r giât pan fu bron iddo gael ei lorio gan rywun yn rhedeg heibio.

'O, helô, Tudur!'

Griddfanodd Tudur. Carwyn Cefnog oedd yno. Carwyn oedd broliwr mwyaf y dosbarth

Tudur Budr

a fedrai Tudur mo'i ddioddef. Roedd yn
gwisgo tracwisg goch lachar, yn union fel ei
dad. Roedd y ddau'n loncian yn eu hunfan.

'Mae Dad a fi'n ymarfer rhedeg,' meddai
Carwyn yn fyr o wynt.

'Wir?' holodd Tudur.

'Wir,' meddai Mr
Cefnog. 'Dwi'n trio
rhedeg bob dydd. Dim
ond rhyw bedair neu
bum milltir.'

'Dim ond hynny?'
meddai Dad, wrth
ymuno â nhw.

Tudur Budr

'Ydych chi'n rhedeg?' gofynnodd Mr Cefnog.

'Ddim felly,' atebodd Dad. 'Does gen i ddim amser.'

'Trueni. Dylech chi drio cadw'n heini,' meddai Mr Cefnog, 'yn eich oedran chi.'

Rhythodd Tudur. Roedd Mr Cefnog yn gwenu'n hunanfodlon wrth i Dad syllu'n ddig arno. Roedden nhw'n edrych fel tasen nhw am ddechrau ymladd.

Tynnodd Chwiffiwr ar ei dennyn, gan sniffian o amgylch coesau Mr Cefnog. Roedd Tudur yn gobeithio nad oedd wedi'i gamgymryd am bolyn lamp.

Tudur Budr

'Wel, ymlaen â ni,' meddai Mr Cefnog. 'Mae gynnon ni ras bwysig yr wythnos nesaf.'

'O? A pha ras?' holodd Tudur.

'Y ras gyfnewid rhywun-a-rhiant,' esboniodd Carwyn. 'Mae Dad a finnau'n dîm.'

'Diddorol – ninnau hefyd!' meddai Dad.

'Ydyn ni?' holodd Tudur.

'Campus!' meddai Mr Cefnog, gan fyseddu ei fwstás. 'Bydd hi'n braf cael ychydig o gystadleuaeth. Ond mae'n rhaid i mi eich rhybuddio chi nawr, dwi ddim yn hoffi colli.'

'Na finnau,' meddai Dad.

Trodd Carwyn a'i dad i adael.

'Wela i di, y drewgi,' meddai Carwyn.

'Wela i di, y penci,' meddai Tudur.

Gwyliodd y ddau yn loncian i lawr y stryd, cyn troi at ei dad.

'Ro'n i'n meddwl nad oeddet ti'n gallu dod i'r mabolgampau?'

Tudur Budr

'Dwi wedi newid fy meddwl,' meddai Dad. 'Dwi ddim am gael 'y nghuro gan y pen bach 'na.'

'Na,' cytunodd Tudur. 'Ond maen nhw i'w weld yn cymryd y peth o ddifri.'

'Ti'n iawn,' meddai Dad. 'Ond mae Mistar ar Mistar Mostyn, cofia. Ben bore fory, rwyt ti a fi am ddechrau ymarfer.'

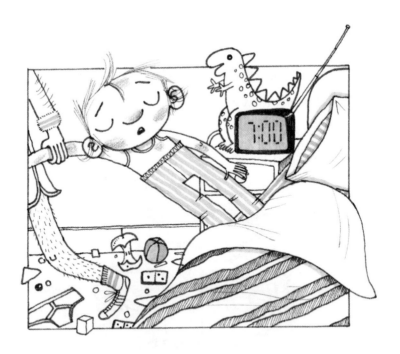

PENNOD 3

Am saith o'r gloch y bore canlynol llusgodd
Dad Tudur o'i wely. Griddfan wnaeth Tudur.
Doedd o ddim eisiau mynd i ymarfer rhedeg.
Roedd ganddo bethau pwysicach i'w gwneud
ar ddydd Sadwrn, fel gwylio'r teledu.

Lonciodd y ddau drwy'r giât ac ar hyd y
ffordd. Wedi un tro o amgylch y parc, roedd
Dad eisiau eistedd i lawr. Disgynnodd yn

Tudur Budr

swp ar fainc a'i ben rhwng ei bengliniau, yn ymladd am ei wynt.

'Mae dy wyneb di'n goch fel tomato,' meddai Tudur.

'Mi fydda i'n iawn' ebychodd Dad. 'Rho . . . funud . . . i mi.'

'Gawn ni fynd i nôl hufen iâ?' holodd Tudur.

Ysgydwodd Dad ei ben; roedd yn edrych fel petai wedi colli ei lais. Ar hynny, daeth dau redwr heibio ar hyd y llwybr. Ochneidiodd Tudur. Carwyn Cefnog a'i dad. Roedden nhw fel petaen nhw'n eu dilyn.

'Iawn, was?' gofynnodd Mr Cefnog, gan

Tudur Budr

arafu ei gam. 'Rwyt ti'n edrych braidd yn boeth.'

'Dwi'n iawn,' meddai Dad, dan wichian. 'Dim ond yn ymestyn fy nghyhyrau.'

'Dwi'n hoffi dy siorts di, Tudur,' gwenodd Carwyn. 'Sawl lap ydych chi wedi'i gwneud?'

'Pump neu chwech.' Roedd Tudur yn palu celwyddau.

'Ry'n ni am wneud ugain,' broliodd Carwyn. 'Mae 'nhad i'n hynod o ffit. Mae o am redeg y marathon eleni.'

'Be mae o isio? Medal?' gwawdiodd Tudur.

'All dy dad di ddim hyd yn oed loncian,' crechwenodd Carwyn.

'Dim ots am hynny. Mae'n siŵr o guro dy dad di yn y ras, yn ddigon hawdd!' meddai Tudur.

Tudur Budr

'Dim gobaith mul!' chwarddodd Carwyn.

'Tyrd, Carwyn,' galwodd Mr Cefnog.

'Rho gyfle i'r ddau yma gael eu gwynt atyn nhw. Welwn ni chi ddiwrnod y mabolgampau, felly. Mi fydd yn hwyl!'

'Ta ta, Tudur!' canodd Carwyn. 'Os wyt ti'n lwcus, gei di weld fy medal aur!'

Gwgodd Dad arnyn nhw wrth iddyn nhw adael ar frys. 'Alla i ddim dioddef y dyn 'na,' meddai.

'Ti'n lwcus nad wyt ti yn nosbarth Carwyn,' ochneidiodd Tudur. 'Os wnân nhw ennill y ras, chlywa i ddim diwedd y peth.'

'Wnân nhw ddim ennill,' meddai Dad, gan godi ar ei draed. 'Tyrd, tair lap arall i fynd.'

Hanner awr yn ddiweddarach, cyrhaeddodd y ddau adref. Roedd yn rhaid i Tudur gario ei dad drwy'r drws, bron.

'Beth ddigwyddodd i ti?' holodd Mam.

'Ry'n ni wedi bod yn loncian,' eglurodd
Tudur. 'Mae Dad wedi blino braidd.'

'O! 'Nghoesau i!' cwynodd Dad. ''Nghefn i!'
Herciodd at y soffa a disgyn arni fel sach
o datws.

''Dy'ch chi ddim yn mynd dros ben llestri
braidd yn paratoi at y ras 'ma?' holodd Mam.
'Dim ond ar gyfer mabolgampau'r ysgol!'

Tudur Budr

'Ia, ond mae Carwyn Cefnog a'i dad yn rhedeg yn y ras,' esboniodd Tudur. 'Mae'n *rhaid* i ni eu curo nhw.'

'O,' meddai Mam. 'Wrth gwrs. Wel, byddai'n well i chi, fechgyn, fod yn barod gan fod Siwsi a minnau'n rhedeg hefyd.'

'Rhedeg beth?' wffiodd Tudur.

'Y ras gyfnewid,' meddai Mam. 'Felly nid Carwyn a'i dad yw eich unig gystadleuaeth.'

'Ha ha, doniol iawn,' chwarddodd Tudur. Roedd hyn yn hollol hurt – pob aelod o'i deulu'n cystadlu! Wedi dweud hynny, prin y gallai aros i weld Siwsi a'i fam yn dod yn olaf.

PENNOD 4

O'r diwedd, daeth Diwrnod Mabolgampau'r
Ysgol. Roedd yr haul yn tywynnu. Roedd y
cae wedi'i addurno â baneri bach. Edrychodd
Miss Jones ar y rhaglen. Hyd yn hyn, roedd
popeth wedi mynd yn iawn. Doedd neb wedi
bod yn sâl nac wedi llewygu oherwydd y
gwres. Roedd dwsin o rasys wedi'u rhedeg
heb unrhyw drafferth. Daeth hi'n amser ar

Tudur Budr

gyfer ras olaf y dydd – y ras gyfnewid rhywun-a-rhiant.

Daeth cysgod dros wyneb Miss Jones. Roedd hi newydd gofio pwy oedd yn cystadlu. Ond doedd bosib y gallai hyd yn oed Tudur ddifetha ras gyfnewid syml? Chwythodd y chwiban a galw ar bawb i ddod at y llinell gychwyn.

Safai Tudur gyda'i dad gan lygadu'r timau eraill. Roedd Carwyn a Mr Cefnog yn brysur yn ymestyn eu cyhyrau. Roedd Mam yn sgwrsio'n hamddenol â Siwsi. Doedd hi ddim wedi trafferthu newid, hyd yn oed.

Tudur Budr

'Cyfle olaf i dynnu 'nôl,' crechwenodd Carwyn.

'Dim gobaith,' meddai Tudur. 'Ry'n ni am eich curo'n rhacs!'

'Dwi ddim yn meddwl hynny, rywsut,' wfftiodd Carwyn.

Esboniodd Miss Jones y rheolau wrth bawb. Roedd dwy ran i'r ras gyfnewid. Byddai'r rhan gyntaf ar gyfer y rhieni yn gan metr o hyd. Yna roedd angen iddyn nhw gwrdd â'u partneriaid a dod yn ôl ar ffurf ras ferfa at y llinell derfyn.

Aeth Tudur, Carwyn a'r gweddill i'w lle, ymhellach i lawr y trac. Safai'r rheini'n un llinell yn barod i gychwyn. Aeth Mr Cefnog i lawr ar ei gwrcwd. Cododd Dad ei siorts. Chwifiodd Mam ei llaw yn hwyliog ar Siwsi. Cododd Miss Jones ei megaffon at ei gwefusau.

'Ar eich marciau, barod, EWCH!'

Tudur Budr

Rhedodd Mr Cefnog fel cath i gythraul, yn
union fel petai ei siorts ar dân.

'TYRD YN DY FLAEN, GERALLT!'
sgrechiodd Mrs Cefnog, gan neidio i fyny ac i
lawr yn gyffro i gyd ger y llinell derfyn.

'Tyrd yn dy flaen, Dad! RHED!' gwaeddodd
Tudur.

Griddfanodd. Roedd ei dad y tu ôl i Mr
Cefnog yn barod. Byddai'n rhaid i Tudur ennill
tir yn ystod y ras ferfa. Aeth i lawr ar ei
ddwylo a'i bengliniau, yn barod i fynd.

Tudur Budr

Mr Cefnog oedd y cyntaf i gyrraedd
a chydiodd yng nghoesau ei fab. 'Aw, ti'n 'y
mrifo i!' cwynodd Carwyn.

Eiliadau'n ddiweddarach cyrhaeddodd tad
Tudur, ei wyneb yn goch ac yn bustachu am
ei wynt.

'Brysia! Rhaid i ni ddal i fyny â nhw!'
gwaeddodd Tudur.

'Dwi'n trio 'ngorau!' meddai Dad
yn fyr o wynt.

Ac i ffwrdd â nhw gyda
Tudur yn cerdded ar
ei ddwylo. Roedd
yn dda ar y ras ferfa.
Roedd wedi bod yn
ymarfer yn yr ardd gyda
Darren. O'i flaen, roedd tîm
Carwyn yn dechrau blino. Gallai
Tudur glywed Mr Cefnog yn mwmian
dan ei wynt.

Tudur Budr

'Symud yn gynt, Carwyn, maen nhw ar ein sodlau ni!'

'Nid fi sydd ar fai!' cwynodd Carwyn.

'Tyrd, Gerallt! Tyrd, Carwyn!' sgrechiodd Mrs Cefnog.

Ond roedd tîm Tudur yn cyflymu. Gallai weld y llinell derfyn yn agosáu a Miss Annwyl a Mr Gwanllyd yn dal y rhuban. Erbyn hyn, roedden nhw'n gyfartal. Gallai Tudur glywed Carwyn yn tuchan fel hen gi. Yn sydyn, gwyrodd y gelyn i'w lôn nhw, a'u taro.

'AAA!' Disgynnodd Tudur yn fflat ar ei wyneb.

'Ta ta, y collwr!' meddai Carwyn dan glochdar wrth ailgychwyn. Ond dylai Carwyn fod wedi cau'i geg. Doedd tad Tudur ddim am adael iddo osgoi cosb am hyn. Deifiodd am Mr Cefnog, a'i daclo o'r cefn fel chwaraewr rygbi!

'WWWWFF!'

94

Cafodd Carwyn ei lorio gan ei dad.

'AWW! Symud!' meddai â'r dagrau'n llifo.

Gorchuddiodd Miss Jones ei llygaid.

Syllodd y dorf yn gegagored. Roedd Tudur a
Carwyn yn rholio ar y ddaear, a'u tadau'n
gweiddi ac yn gwthio'i gilydd.

'Twyllwr!'

'Ti yw'r twyllwr, y bolgi!'

'Paid â 'ngalw i'n folgi!'

Tudur Budr

Roedd pawb wedi anghofio am y ras erbyn hynny. Pawb ac eithrio'r tîm oedd yn y trydydd safle. Wrth iddyn nhw groesi'r llinell derfyn daeth bonllef o weiddi a chymeradwyo gan y dorf. Gollyngodd Tudur goes Carwyn a chodi ei ben i edrych. Na, doedd hyn ddim yn bosib! Wedi'r holl ymdrech, a'r holl ymarfer, Mam a Siwsi enillodd y ras!